CASTELL CAERNARFON

Drama Basiant
gan
DANIEL GWYNN

LLYFRAU'R DRYW

LLANDYBIE

Argraffiad Cyntaf 1968.

I

Angharad, Gethin, Gwenllian a Mari.

ARGRAFFWYD GAN WASG MERLIN.
CYHOEDDWYD GAN CHRISTOPHER DAVIES (CYHOEDDWYR) CYF.,
LLANDYBIE, SIR GAERFYRDDIN.

RHAGAIR

Yn y gyfres hon o olygfeydd sy'n rhoi cipdrem inni ar hanes Castell Caernarfon dewiswyd y cyfnodau hynny y gallwn weld ynddynt hefyd ddarlun o hanes Cymru. Yn wir, nid hanes castell yn unig sydd yma ond hanes cenedl.

Ceir cyfle yn y pasiant i bob aelod o ddosbarth neu glwb gymryd ei ran yn y chwarae, ac fe ellid ennyn diddordeb a chael cydweithrediad mwy nag un dosbarth drwy roi cyfle i ddisgyblion eraill gynllunio'r golygfeydd a gweithio'r goleuadau a llunio'r gwisgoedd. Bydd cael dillad addas yn elfen bwysig yn y chwarae gan fod y gwisgoedd yn help i ddangos y cyfnod ac i greu'r awyrgylch iawn mewn golygfeydd lle y bo uchelwr a thaeog, neu swyddog a milwr, ar y llwyfan.

Ni ellir mewn rhagair byr fanylu ar y math o lwyfan i'w ddefnyddio. Bydd gan bob cynhyrchydd ei syniadau ei hun am lwyfannu, ond dylid meddwl am 'lwyfan' ar dair lefel, a defnyddio llawr y neuadd fel is-lwyfan a chael grisiau i ddringo i lwyfan uwch ar gyfer y golygfeydd hynny a chwaraeir y tu allan i furiau'r castell. Yna fe all y llwyfan arferol fod ar gyfer golygfeydd y tu mewn i'r castell.

Ar lawr y neuadd, rhodder platfform i'r ADRODDWR sydd â rhan mor bwysig yn y chwarae. Dylai'r platfform led-wynebu'r 'gynulleidfa' fel y gallo'r Adroddwr gyfeirio at y llwyfan wrth ddweud ei stori. Dylid cael desg weddol uchel iddo fel y caiff gyfle i eistedd o'r golwg pan na fydd yn traethu.

CYMERIADAU

Yr Adroddwr

Cyfnod y Rhufeiniaid
    Marcus
    Julius
    Elen
    Cynan
    Adeon
    Macsen Wledig
    Henwr
    Gwas

Cyfnod y Normaniaid
    William Mason
    Gruffydd ab Ifor
    Syr Henri Ellerton
    Edward 1
    Uchelwyr
    Gwerinwyr
    Marchogion

Cyfnod Glyn Dŵr
    Hywel
    Iestyn
    Hwlcyn
    Ieuan ap Maredudd
    William Tranmere
    Huw
    Swyddog
    Milwyr

Pan dynnir y llenni gwelir golygfa o lawnt y castell fel y mae ar hyn o bryd. Yn gefndir i'r olygfa rhodder llun o furiau'r castell a Thŵr yr Eryr, fel y'u gwelir wrth edrych i'r dde wedi mynd drwy'r porth.

Mae'n ddiwrnod da i ymwelwyr, mae'n amlwg. Mae grwpiau o bobl yn crwydro'n hamddenol ar hyd y lawnt ac yn llygadrythu ar bopeth. Bydd un grŵp fach yn gwrando ar 'arweinydd' yn ceisio esbonio a rhoi hanes y lle. Bydd ambell un yn hamddena wrtho'i hun ac yn sefyll ar brydiau i edrych i fyny at rywbeth ac yna i droi tudalennau'r llyfryn sydd yn ei law; ac wrth gwrs, fe fydd rhai yn tynnu lluniau. Ar y dde, mae un twrr o fechgyn a merched yn eistedd a lledorwedd, ac mae'n amlwg eu bod yn gweithio ar ryw gynllun gan fod ganddyn nhw lyfrau nodiadau a hyfforddwr sy'n meimio ymladd bob hyn a hyn. Daw bachgen a merch i mewn a dringo'r grisiau law yn llaw. Does fawr diddordeb ganddyn nhw yn y castell na'i furiau. Maen nhw'n aros ennyd i'r bachgen gael tynnu llun ohoni hi'n eistedd yn lluniaidd ar gornel mur.

Daw'r ADRODDWR i'w le, ac wedi troi i edrych am eiliad ar yr olygfa . . . .

ADRODDWR: Mae'r haul yn tywynnu ar furiau Caernarfon, a'r ymwelwyr wedi tyrru i'r castell i edrych a rhyfeddu. Mae croeso i bawb ddod i mewn y dyddiau hyn . . . wedi iddyn nhw dalu wrth y porth, wrth gwrs . . . ac wedi iddyn nhw ddod i mewn, maen nhw'n rhydd i fynd ble y mynnon nhw. (*gan led-droi at y llwyfan*) Dyma'r olygfa welan nhw wrth edrych i lawr i'r dde wedi dod drwy'r porth a heibio i'r siop fach sy'n gwerthu cardiau post a llyfrynnau am y castell. Welwch chi Dŵr y Frenhines ar y chwith? . . . . a Thŵr yr

9

Eryr . . . . y Tŵr Mawr . . . . ar y dde?
Ac o'n hamgylch ni yma mae 'na furiau
cedyrn a thyrau enwog eraill . . .

Lle braf ydy hwn i dreulio prynhawn.
Welwch chi nhw'n mynd a dod? Bydd
ambell dwrr yn ddigon ffodus i gael
arweinydd i adrodd hanes y castell wrth-
yn nhw. Bydd yn well gan ambell un
ddarllen y cwbl drosto'i hun ac fe fydd
ambell un yn edrych ar bopeth a gweld
dim . . . ac ambell ddeuddyn hoff yn
meddwl mwy am fod gyda'i gilydd nag
am ogoniant hen gastell. Bydd llawer un
yn ail-fyw hen helyntion cynhyrfus.
Mae'r grŵp fach acw, fe allwn i feddwl,
wrthi'n sgrifennu hanes y castell ar gyfer
ryw raglen neu'i gilydd.

Fe ddilynwn ninnau hanes y castell ac
ail-fyw rhai o'r helyntion sy'n rhoi cip-
drem i ni ar hanes y castell ac, yn wir, ar
hanes Cymru. Dewch yn ôl gyda ni . . .
drwy'r canrifoedd . . . .

(*Tywyller y llwyfan yn llwyr a thynner
y llenni. Ar yr ADRODDWR yn unig
y bydd y golau yn awr*).

. . . . yn ôl drwy'r canrifoedd . . . i'r cyf-
nod pan nad oedd yma gastell o gwbl. . .
yn ôl i gyfnod y Rhufeiniaid. Yma, mae'n
debyg, yma rywle, lle mae afon Seiont yn
llifo i afon Menai roedd caer. Nid caer
Rufeinig oedd hi pan glywn ni amdani
gynta, ond caer a godwyd gan y Brython-
iaid a oedd yn byw yma. Yn ôl y chwedl,
dyma'r gaer a welodd Macsen Wledig yn
ei freuddwyd.

Ydych chi'n cofio'r chwedl? Un dydd
fe aeth Macsen Ymherodr Rhufain i
hela, a phan oedd yr haul yn uchel a gwres
y dydd yn fawr blino a wnaeth ar yr hela

10

a mynd i gysgu . . . a breuddwydio. Yn ei freuddwyd (medd y chwedl) gwelai ei fod yn mynd dros afonydd a mynyddoedd ac o wlad i wlad hyd nes dod o'r diwedd i ben mynydd uchel, a gweld oddi yno afon 'yn rhedeg ar draws y wlad . . . ac yn aber yr afon y brifgaer decaf a welsai dyn erioed, a phorth y gaer a welai yn agored'. Ac yn y gaer roedd y forwyn brydferthaf a welsai erioed yn byw ond pan oedd (yn ei freuddwyd) ar fin dod i'w hadnabod yn well fe'i deffrowyd gan sŵn yr hela a'r tariannau'n taro'n erbyn ei gilydd a phystylad y meirch. A phan ddeffroes (a defnyddio geiriau'r chwedl unwaith eto) 'hoedl nac einioes na bywyd nid oedd iddo am y forwyn a welsai yn ei freuddwyd'.

Ar gyngor y doethion fe anfonodd genhadau allan i bob cwrr o'r byd. Cyn mynd fe ddisgrifiodd Macsen yr holl fanion a welodd e yn ei freuddwyd. O'r diwedd, wedi dilyn y daith a ddisgrifiwyd gan yr Ymherodr, fe ddaeth dau o'r cenhadau hyn i Brydain, ac i'r rhan hon o'r wlad.

(*Tynner y golau oddi ar yr ADRODD-WR a'i droi ar y grisiau chwith sy'n mynd i fyny i'r llwyfan. Daw dau gennad i mewn a dringo'r grisiau'n llesg. Wedi cyrraedd blaen y llwyfan mae'n amlwg bod JULIUS yn falch o'r cyfle i daflu ei becyn i'r llawr ac eistedd arno. Mae MARCUS yn fwy brwd ac fe gerdda draw i'r dde i geisio gweld ble y maen nhw.*)

JULIUS : Gad inni droi'n ôl, Marcus.
MARCUS (*gan droi i edrych arno*) Wedi dod cyn belled â hyn? Na wnawn, wir!

11

JULIUS: Rydw i wedi blino . . .

MARCUS: Wyt, wyt. . . ac rydw innau wedi blino, wedi hen flino, a dweud y gwir, ond gwae ni os trown ni'n ôl nawr, a ninnau heb gyrraedd pen y daith.

JULIUS: Petaen ni'n sicr fod 'na ben i'r daith 'ma . . . petai'r niwl 'ma'n codi a'r glaw diddiwedd 'ma'n peidio efallai y caem ni gyfle i weld rhywbeth. Ond troi nôl fyddai orau i ni, a phetawn i'n cael fy ffordd . . .

MARCUS: Ond chei di mo dy ffordd dy hun, Julius bach. Fi sydd i ddweud a ydyn ni i droi nôl neu beidio, ac rydw i'n dweud ein bod ni'n mynd ymlaen i ddiwedd y daith. Fe fydd yr Ymherodr Macsen yn disgwyl inni allu dweud wrth fe am y gaer deg 'na ac am y forwyn brydfertha yn y byd.

JULIUS: Yh! Fydd e ddim fawr callach. Fe allen ni ddweud wrtho fe nad oedd y pethau welodd e yn ei freuddwyd yn wir . . .

MARCUS: Ond y peth rhyfedd, wel di, Julius, ydy fod popeth *yn* wir hyd yn hyn.

JULIUS: Rhyw freuddwyd rhyfedd gafodd e i ddechrau. Sut y gallai dyn ddisgrifio pob cam o'r daith welodd e yn ei freuddwyd os na bu e erioed yn y lleoedd hynny?

MARCUS: Rhyfedd neu beidio, rhaid i ti gyfadde ei fod e wedi gallu disgrifio pob lle a phob peth i'r dim.

JULIUS: Eitha gwir. Rydyn ni wedi llwyddo i ddilyn y daith yn ôl y disgrifiad roes e i ni . . . A dyma ni! Yn y twll anghysbell hwn, ynghanol mynyddoedd a chreigiau na all dyn mo'u dringo, ac ar goll yn y niwl a'r glaw mân 'ma. (*gan bwyso'n ôl*) Meddwl am yr haul yn disgleirio yn Rhufain!

MARCUS (*gan chwerthin*):   Roeddwn i'n siŵr na fyddet ti fawr o dro cyn dechrau sôn am heulwen Rhufain. Yr un hen gân sy gen ti bob dydd!

JULIUS: Wyt ti ddim yn dyheu am deimlo llygedyn a haul ar dy wyneb?

MARCUS: Ydw, wrth gwrs mod i . . . ond . . .

JULIUS: Ond mae'n rhaid inni fynd ymlaen i ben y daith! Yr un hen gân sy gen tithau, Marcus. Clyw, os trown ni'n ôl nawr fe wyddon ni beth sy tu ôl i ni, ond os ceisiwn ni fynd ymlaen wyddon ni ddim beth sy o'n blaenau ni. Efallai . . .

MARCUS: Mi fydda i'n fodlon pan wela i'r gaer welodd Macsen, ac nid cyn hynny!

JULIUS: Y gaer? O, honno welodd e yn ei freuddwyd . . . (*yn sydyn*) Marcus. Onid o ben rhyw fynydd y gwelodd e'r gaer?

MARCUS: Ie. Wyt ti ddim yn cofio beth ddwedodd e? ". . . ac o'r mynydd hwnnw afon a welais yn rhedeg ar draws y wlad ac yn cyrchu tua'r môr, ac yn aber yr afon mi a welais y brifgaer decaf a welais erioed."

JULIUS: Ecastor, Marcus, rwyt ti'n cofio'r cwbl air am air!
(Marcus yn symud i'r dde ac yn syllu i lawr)

MARCUS: Cofio? Wrth gwrs mod i'n cofio'r cwbl. Rydw i wedi adrodd y geiriau imi fy hun mor fynych . . . . Wyddost ti, Julius, mae rhywbeth yn dweud wrtho i ein bod ni'n dod i ben y daith.

JULIUS: Gorau po gynta, ddweda i . . . inni gael mynd nôl i degwch hawddgar Rhufain yn lle gorfod . . . .

MARCUS: Julius! Mae'r niwl yn codi!

JULIUS (*gan godi*): Efallai y gallwn ni weld y wlad nawr.
(Cerdda draw at MARCUS. Y ddau yn syllu i lawr i'r dde).

JULIUS: Ydy, mae'r niwl felltith 'ma'n codi o'r diwedd. Edrych, mae'n bosibl gweld i lawr y dyffryn a dilyn cwrs yr afon . . . a dacw lygedyn o haul yn torri drwy'r niwl a . . .

13

	(*yn gyffrous*) Marcus! Edrych! Myn y duwiau! Dacw'r gaer!
MARCUS (*yn wyllt o syn*):	Afon yn rhedeg ar draws y wlad . . . fel y dwedodd Macsen . . .
JULIUS:	Ac yn cyrchu tua'r môr . . . a . . . Weli di, Marcus? Ac yn aber yr afon. . .
MARCUS:	Y brifgaer decaf. Weli di hi'n disgleirio yn yr haul? Roedd Macsen yn iawn. Hi ydy'r gaer hardda a welodd dyn erioed.
JULIUS:	Mae pen y daith yn y golwg nawr, Marcus . . . ac os gwir y breuddwyd ymhob dim, fe fydd porth y gaer ar agor . . .
MARCUS:	Fe fydd dau ŵr ifanc yn chwarae gwyddbwyll . . .
JULIUS:	A hen ŵr yn eistedd wrtho'i hun . . .
MARCUS (*yn frwd*):	A'r forwyn decaf a welodd dyn erioed yn eistedd mewn cadair o ruddaur . . . yn ei sidan gwyn . . . a rhactal o aur am ei thalcen hi.

> (*Y ddau allan i'r dde. Diffodder y golau am ennyd. Yna agorer y prif lenni ar olygfa yn neuadd y gaer. Dylai'r olygfa hon fod mor agos at y manylion a geir yn y chwedl ag sy'n bosibl. Ar y dde mae dau lanc yn chwarae gwyddbwyll wrth fwrdd isel. Ar y chwith mae hen ŵr yn eistedd, ac yn y canol eistedd ELEN yn ei gwisg o sidan gwyn. Rhactal o aur am ei thalcen.*
>
> *Daw MARCUS a JULIUS i'r agoriad yn y cefn. Mae'n amlwg eu bod wrth eu bodd wrth y ffordd maen nhw'n edrych yn syn ar bob peth ac yn cydweld bod popeth fel y'i disgrifiwyd gan Macsen.*)

MARCUS (*yn uchel*):	Henffych well!
JULIUS:	Henffych well, Ymherodres Rhufain!

> (*Y ddau lanc yn codi'n syn. ELEN hithau yn codi, ond dal i bendwmpian y mae'r hen ŵr.*)

ELEN: Wyrda, arwyddion cenhadau sy arnoch chi. Pam rydych chi'n fy ngwatwar i a'm galw i'n Ymherodres Rhufain. (*Troi at y ddau lanc*) Cynan, fy mrawd, a thithau, Adeon, Glywsoch chi?

CYNAN: Ar fy llw, daeog, chei di ddim gwawdio neb yma. Beth ydy'ch neges chi? Dywedwch, neu . . .!

MARCUS: Ein neges oedd cyrraedd y gaer hon a gweld dy chwaer. Hi fydd Ymherodres Rhufain, gwraig Macsen Ymherodr.

CYNAN: Dyna'r ail waith i ti watwar fy chwaer a'i galw'n ymherodres. Efallai y byddwch chi'n barotach i'w chyfarch yn fwy parchus wedi i chi fod yn y gell am ddiwrnod neu ddau.

JULIUS: Ond, unben . . .

MARCUS: Yn wir, arglwydd, nid o amharch y dywedwn ni hyn. Rydyn ni wedi dod bob cam o Rufain â neges oddi wrth yr Ymherodr ei hun.

HENWR: Gad iddyn nhw ddweud eu neges, Cynan.

ELEN: Ie, fy mrawd, gad iddyn nhw adrodd eu hanes.

CYNAN: O'r gorau. Dywedwch chi, ond ar fy llw, os tybia i fod sŵn anwiredd yn eich geiriau, fe . . . fe . . .

HENWR: Gad iddyn nhw lefaru, ynteu, nid eu bygwth. Cenhadau ydyn nhw nid milwyr.

ELEN (*wrth Marcus*): Ti, gennad. Adrodda di'r neges. Beth sy a wnelo Ymherodr Rhufain â ni yma yng Nghaer Seiont yn Arfon?

MARCUS: F'arglwyddes, fe welodd yr Ymherodr di mewn breuddwyd.

ELEN (*yn syn*) Ond mae hynny'n anhygoel. Sut y gallai fy ngweld i ac yntau heb fod yma erioed?

MARCUS: Allwn ni ddim esbonio hynny, f'arglwyddes. Allai holl ddoethion Rhufain ddim esbonio hynny chwaith, ond . . .

15

JULIUS: Ond mae'n wir, serch hynny, f'arglwyddes. Fe'th welodd di yn ei freuddwyd, a byth er hynny mae e'n dihoeni o gariad atat ti.

ELEN: O'n wir!

MARCUS: Roedd popeth mor fyw yn ei freuddwyd fel y gallai ddisgrifio pob cam o'r daith o Rufain hyd yma. Ac roedd y gaer 'ma'n union fel y dywedodd yr Ymherodr, a chwithau oll yn eistedd fel y gwelodd e chi.

ELEN (*yn ysgafn*): Ac wrth gwrs, yn ei freuddwyd fe welodd e ei hunan yn cerdded i mewn i'r neuadd 'ma heb ofyn cennad neb . . . a'm gorchymyn i fod yn wraig iddo!

MARCUS: y . . . y . . . wel, mae'r breuddwyd yn dod i ben . . . ychydig cyn hynny.

ELEN: Ychydig cyn hynny? Beth wyt ti'n ei feddwl?

MARCUS: Yn y breuddwyd fe godaist ti, f'arglwyddes, o'r gadair acw, ac fe roes yr Ymherodr ei ddwy law am dy wddf di . . .

ELEN (*gan chwerthin*): Do fe'n wir!

MARCUS: Yna fe aethoch i eistedd yn y gadair.

ELEN: Ni'n dau yn yr un gadair! (*chwardd*) Ie?

MARCUS: A phan oedd e â'i ddwy law am dy wddf di, a'i rudd wrth dy rudd dithau fe ddihunodd.

ELEN: A cholli diwedd y stori! Druan ag e! A chan iddo fe golli diwedd ei freuddwyd, mae e'n dihoeni . . .

JULIUS: Dyna pam rydyn ni yma, f'arglwyddes.

ELEN: Ac wedi i chi fy nghael i . . .?

MARCUS: Ei orchymyn e oedd i ti ddod gyda ni i Rufain.

ELEN: Ei orchymyn?

MARCUS: Ie, f'arglwyddes. Rwyt ti i ddod gyda ni i Rufain i'w briodi.

ELEN: Na wnaf! Os yw ei gariad e cyn gryfed ag y dywedwch chi . . . os yw e'n dihoeni o serch ata i . . . yna deled e yma. Ewch yn ôl ato

16

a dywedwch wrtho fy mod i'n gallu gorch-
ymyn hefyd a dyna ngorchymyn i . . . Deled
e yma i ofyn i mi!

LLENNI A THYWYLLWCH

(Tafler y golau ar yr ADRODDWR)

ADRODDWR: Fe aeth y cenhadau yn ôl i Rufain ar frys,
a rhoi gorchymyn Elen i'r Ymherodr. Daeth
Macsen i'r wlad hon a goresgyn yr ynys a
chyrraedd Arfon . . . Wedi priodi Elen fe
gododd brifgaer iddi yma wrth yr afon
Seiont, ac yn ôl y chwedl, ddwy brifgaer
arall a ffyrdd i bob caer ar draws yr ynys.
Fe welwch olion yr hen gaer Segontium yma
yn y dre, ac wrth gwrs, fe ellwch ddilyn
olion llawer ffordd Rufeinig o hyd, ac onid
ydy'r enw Sarn Elen yn amlwg ar bob map?
    Saith mlynedd y bu Macsen yn teyrn-
asu'n heddychlon ar yr ynys hon. Ond fe
ddaeth diwedd ar ei hapusrwydd. Fe gyr-
haeddodd negeseuwyr o Rufain y gaer a
rhoi newyddion drwg iddo . . .
*(Tröer y golau ar y llwyfan. Agorer y
llenni ar olygfa yn y gaer. Mae Macsen yn
eistedd wrtho'i hun yn ddigon trist ei
wedd. Daw ELEN i mewn ac edrych
arno am ennyd cyn dweud dim)*

ELEN: Macsen, rwyt ti'n drist ac yn ddigalon.

MACSEN: Elen, f'anwylyd, tyrd i eistedd gyda mi.
(Elen yn eistedd wrth ei draed).

ELEN: Dydw i ddim yn hoffi gweld f'arglwydd yn
drist ei wedd. Gefaist ti newyddion drwg?

MACSEN: Do . . .

17

ELEN:	Pan welais i'r negeseuwyr 'na o Rufain, fe wyddwn wrth eu hwynebau nhw . . .
MACSEN:	Ac fe wyddwn innau yn fy nghalon y deuai neges o'r fath cyn hir. Fe aeth saith mlynedd heibio er pan ddeuthum i'r ynys hon . . .
ELEN:	Y saith mlynedd hapusa erioed, f'arglwydd.
MACSEN:	Fûm innau ddim yn ddedwyddach yn fy myw, f'anwylyd, ond fe fûm saith mlynedd heb fynd yn ôl i Rufain.
ELEN:	Macsen, roeddwn i'n barod i fynd gyda thi, petait ti wedi dweud y gair. Gallwn fynd yfory nesa . . .
MACSEN:	Mae'n rhy ddiweddar, Elen.
ELEN:	Yn rhy ddiweddar? Ti sydd i benderfynu. Ti ydy Ymherodr Rhufain.
MACSEN:	Nage, Elen. Nid fi ydy'r Ymherodr mwyach!
ELEN:	Dydw i ddim yn deall. Nid ti . . .?
MACSEN:	Fe fûm dros saith mlynedd yn trigo mewn gwlad arall, ac yn ôl defod a chyfraith Rhufain, chaf i ddim mynd yn ôl i Rufain fyth eto.. Mae yno ymherodr newydd. Dyna'r neges a gefais i gan y negeseuwyr. Wyt ti'n synnu nawr mod i'n drist?
ELEN:	Defod a chyfraith Rhufain yn wir! Dy waith di fydd ei thorri.
MACSEN:	Ond sut? Sut y galla i . . .?
ELEN (*gan godi*)	Drwy ddychwelyd i Rufain a chipio'n ôl y goron a roddwyd i ŵr arall. Dyna'r ffordd y torrwn ni gyfraith Rhufain. Dwyt ti ddim yn mynd i eistedd yn llonydd yma yn Arfon a meddwl a hiraethu am fod yn ymherodr yn Rhufain . . . a bod yn ymherodr yno yw dy briod swydd di.
MACSEN:	Dydw i ddim yn amgenach na phennaeth bach di-nod.
ELEN:	Gad imi orffen, f'arglwydd. Ti ydy'r ymherodr . . .

18

MACSEN:	Ond, Elen, oni ddywedais i wrthyt ti fod gŵr arall wedi'i benodi'n ben. Fe, pwy bynnag ydy e, ydy'r ymherodr nawr.
ELEN:	Dydy hynny'n profi dim i mi. Mae'n dangos bod rhywrai wedi dewis rhyw ŵr yn dy le di . . . ond dydy hynny ddim yn profi bod pawb wedi troi eu cefnau arnat ti. Maen nhw'n cofio iti fod yn ymherodr cyfiawn, ac fe fyddan nhw o'th blaid di ac yn barod i ymladd drosot ti.
MACSEN:	Wyt ti'n meddwl y galla i . . .
ELEN:	Rydw i'n sicr y gelli di adennill y goron a dod yn ymherodr ar Rufain unwaith eto. Bydd y milwyr a fu gynt yn ffyddlon i ti yn barod i ymladd dan dy faner unwaith eto, ac yn bwysicach fyth fe fydd gen ti fydd-in arall.
	(*Troi a churo'i dwylo ddwywaith. Daw GWAS i mewn*)
ELEN:	Was!
GWAS:	F'arglwyddes?
ELEN:	Dos â neges at fy mrawd, Cynan.
GWAS:	Mae Cynan ac Adeon wrth borth y gaer, f'arglwyddes.
ELEN:	Dywed wrthyn nhw fod yr Ymherodr Macsen a minnau ar gyngor ac y byddai'n dda gennym ni gael gair â nhw.
GWAS:	O'r gorau, f'arglwyddes.
	(*Â'r gwas allan*)
ELEN:	Nid Rhufeinwyr yn unig fydd gyda thi'r tro hwn, f'arglwydd. Bydd Cynan ac Adeon wrth eu bodd i'th ddilyn di i Rufain.
MACSEN (*gan ddangos ychydig o frwdfrydedd o'r diwedd*)	
	Mi godaf fyddin o'r holl Rufeinwyr sydd yn yr ynys hon . . . a'u trin . . . a'u hymarfer . . .
ELEN:	Ac fe ddaw fy mrodyr â byddin o wŷr yr ynys i'th gynorthwyo (*cerdded at y porth*) Dyma'r ddau'n dod . . .
	(*Daw CYNAN ac ADEON i mewn*)

19

CYNAN: Henffych!

ADEON: Henffych well!

CYNAN: Fe ddywedodd y gwas eich bod chi ar gyngor.

ELEN: Ydyn yn wir. Rhaid i Macsen ddychwelyd i Rufain i adennill ei goron.

ADEON: I adennill . . .?

CYNAN (*yn frwd*): Fydd rhaid inni ymladd, Macsen?

MACSEN: Bydd. Mae gŵr arall wedi'i enwi'n ymherodr.

CYNAN (*yn hwylus*) Fydd e ddim yn hir ar ei orsedd unwaith y cyrhaeddwn ni. Bydd Adeon a mi wrth dy ochr di, Macsen.

MACSEN: Yna rydych chi'n barod i . . .

CYNAN: Rydyn ni gyda thi i'r carn.

ADEON: Rydw i'n dyheu am gyfle i drin cleddyf unwaith eto. (*gan chwerthin*) Un bai fu arnat ti, Macsen.

MACSEN: O! A beth oedd hwnnw?

ADEON: Fe roist ti ormod o heddwch i ni! O, rydyn ni wedi bod yn hapus mae'n wir. Rydyn ni wedi dysgu arferion y Rhufeiniaid a'u dull nhw o fyw. Rydyn ni wedi benthyca geiriau . . . rydyn ni wedi . . . Ond dydyn ni ddim wedi cael cyfle i ymladd! Ond nawr, myn y sêr, mae gennym ni achos i fynd i ryfela!

CYNAN: Fe fydd rhaid inni gynllunio'r ymgyrch yn ofalus.

MACSEN: Fy nghynllun i ydy cynnull byddin o Rufeinwyr . . .

CYNAN: Ac ar dy ffordd i Rufain fe elli di oresgyn Ffrainc a Bwrgwyn.

ADEON: Ac wrth gwrs, fe ddaw miloedd o'r milwyr fu gynt gyda thi i ymuno â thi ar y ffordd.

CYNAN: Yna fe ddown ni â llu o wŷr yr ynys hon i fod yn gefn iti ac i'th gynorthwyo. (*gan symud at y porth*)Tyrd, Adeon, rhown orchymyn i bob pendefig yn Arfon i ddod â'i wŷr . . .

20

(Mae'r ddau yn siarad yn frwd wrth fynd allan).

ADEON: Petai pob un yn dod â dau ŵr gydag e, yna fe fyddai ...

(Erbyn hyn maen nhw wedi mynd allan ac ni chawn glywed diwedd y frawddeg).

ELEN: Weli di, Macsen? Mae'r ddau wrth eu bodd ac eisoes maen nhw'n dechrau llunio ymgyrch. Bydd rhaid i tithau feddwl sut orau mae gweithio ...

MACSEN: Bydd. Ac mae llawer i'w wneud. Nid gwaith hawdd fydd hwn!

LLENNI

(Tröer y golau ar yr ADRODDWR).

ADRODDWR: Nage'n wir, nid gwaith hawdd oedd disodli'r ymherodr newydd ac adennill Rhufain i Macsen Wledig. Ond trwy help Cynan ac Adeon a'u byddin o wŷr Arfon fe lwyddwyd i gipio'r goron yn ôl.

Ar eu ffordd adre i Arfon fe benderfynodd llawer o'r gwŷr hyn aros yn y rhan honno o Ffrainc a elwir yn Llydaw. Ond stori arall yw honno!

Fe fu caer yma . . . yma lle mae Afon Seiont yn llifo i Fenai . . . drwy'r canrifoedd. Yng nghyfnod y Normaniaid y dechreuwyd gwneud y gaer yn gryfach, er nad oedd, yn ôl pob tebyg, ddim amgenach na neuadd o bren ar ben twyn a phalis o'i hamgylch. Ac yna, yn amser Edward y Cyntaf, ysgubodd y Normaniaid drwy ogledd Cymru a goresgyn y wlad. Ffordd Edward o

21

gadw'r Cymry'n dawel oedd codi castell.
Dechreuwyd ar y gwaith yma yng Nghaer-
narfon . . . .

> (*Tröer y golau ar y llwyfan. Cyn agor y
> llenni clywir sŵn ergydio a tharo. Wedi
> tynnu'r llenni cawn weld WILLIAM,
> saer maen o Norman, yn taro pren i'r
> llawr, ac yna'n mynd ati i fesur â'i bren
> mesur a dal i edrych ar ddarn o femrwn.*)

WILLIAM (*wrtho'i hun*) Deg troedfedd o drwch . . .

> (*Mae ei fryd i gyd ar y mesur ac nid yw'n
> sylwi ar GRUFFYDD yn dringo tuag ato
> (i ben y grisiau), ac yn edrych yn syn
> arno*)

WILLIAM: Chwech . . . naw troedfedd . . . ac un . . .
deg troedfedd. Dyna ni!

> (*Edrych i fyny a gweld GRUFFYDD yn
> syllu arno*)

WILLIAM: Pwy wyt ti, eh?

GRUFFYDD: Gruffydd ab Ifor ap Cynfrig Hael ap . . .

WILLIAM: Gan bwyll. Yn ara bach nawr, wnei di. Pwy
wyt ti, ofynnais i, nid pwy oedd dy dad a
dy daid a'i dad yntau. Beth ydy dy enw di?

GRUFFYDD: Gruffydd ab . . .

WILLIAM: Gruffydd, ai e? A beth wyt ti'n ei wneud
yma, eh?

GRUFFYDD: Mae gwell hawl gen i i ofyn i ti pwy wyt ti
a beth wyt ti'n ei wneud yma. Pwy wyt ti?

WILLIAM: William the Mason. Dyna enw onest i ti,
yn dweud bod crefft gen i, yn dweud beth
ydw i, nid dweud mod i'n fab i hwn a hwn.
A beth ydw i'n ei wneud yma? Fe ddyweda
i wrthyt ti. Codi castell!

GRUFFYDD (*gan chwerthin*) Codi castell? Ti'n codi cas-
tell?

WILLIAM: Wel . . . fi a rhyw fil o weithwyr eraill.

GRUFFYDD (*yn ddiniwed*) O, dwyt ti ddim yn mynd i
wneud y cwbl dy hunan.

WILLIAM: Clyw 'ma, Gruffydd ab ... ap ... beth byn-
ag ydy dy enw di, wyt ti'n 'y ngwawdio i?
Achos os wyt ti, fe ...

GRUFFYDD: O, doeddwn i ddim yn bwriadu gwneud
gwawd. Ddywedais i rywbeth o'i le? Wrth
gwrs, rydw i'n deall yn iawn na elli di ddim
adeiladu castell dy hunan bach. Fe fydd
eisiau help hyd yn oed ar y dyn mwya
medrus. Beth ydy hwn sy gen ti? Memrwn?

WILLIAM: Dyma'r cynllun. O hwn y bydda i'n gweithio
wrth fesur y muriau. Walter Hereford
wnaeth hwn.

GRUFFYDD: Walter Hereford? Pwy ydy e?

WILLIAM: Fe ydy'r pen saer. Fe sy wedi cynllunio'r
castell 'ma ac mae e'n gwybod i'r dim sut
mae ei gweithio hi hefyd ... (*Mae'n amlwg
ei fod yn falch iawn o allu'r pen saer*) Mae'r
muriau i fod draw i'r fan acw ... a bydd
tyrau cadarn ... un fan yma ... ac un arall
draw fan 'na.

GRUFFYDD (*dal i edrych ar y memrwn*) Myn cebyst i!
Rydych chi'n ddynion medrus! Wyt ti'n
meddwl dweud wrtho i dy fod di'n deall y
llinellau 'ma i gyd? (*chwardd*)

WILLIAM: Chwardda di, machgen glân i. Nid chwerth-
in y byddi di, na channoedd ohonoch chi pan
ddechreuwn ni adeiladu ... O nage!

GRUFFYDD: Eh? Beth wyt ti'n ei feddwl?

WILLIAM: Oes amcan gen ti faint o gerrig fydd yn y
muriau 'ma? Weli di'r marc 'ma? (*cerdded*)
... a hwn? Dyna fydd trwch y mur o am-
gylch y lle ... deg troedfedd o drwch ...
(*edrych i fyny*) A'r uchter? Wn i ddim faint
fydd yr uchter eto. Faint o gerrig fydd yn
y muriau i gyd, ddywedet ti?

GRUFFYDD: Wn i ddim. Hoffwn i mo'u rhifo nhw. Pam
wyt ti'n gofyn i fi? Ti ydy'r saer nid fi.

WILLIAM: Pam? Am mai *ti* a rhai tebyg i ti fydd yn eu
cario nhw ... a'u naddu nhw ... a'u codi

23

nhw i'w lle. Pwy fydd yn chwerthin y pryd hynny, eh?

GRUFFYDD (*yn dechrau twymo*) Pa hawl sy gan y Normaniaid ddod yma a'n gorfodi ni i . . .

WILLIAM: Ar bwy mae'r bai?

GRUFFYDD: Eh? (*â'i wrychyn yn codi*) Ar bwy mae'r bai? Ond y dyn felltith . . .

WILLIAM: Mi ddyweda i wrthyt ti. Arnoch chi'r Cymry, wrth gwrs. Petaech chi'n gallu bod yn dawel fyddai dim rhaid inni godi cestyll i'ch cadw chi'n dawel. Wyt ti'n deall? Rydych chi'n achosi trafferth i'r brenin Edward . . . .

GRUFFYDD: A mwy o drafferth gaiff e hefyd!

WILLIAM: Bob tro mae'r brenin yn brysur yn Sgotland neu yn Ffrainc rydych chi'n codi terfysg. Dydych chi ddim yn helpu'r brenin o gwbl, ydych chi?

GRUFFYDD: Pam y dylen ni ei helpu e? Dydy e ddim yn frenin arnon ni!

WILLIAM: O ydy, ydy! Mae Edward yn frenin ar y wlad i gyd.

GRUFFYDD: Fydd e fyth yn frenin arnon ni. Rydyn ni wedi byw'n rhydd erioed, yn rhydd dan ein tywysogion ni'n hunain.

WILLIAM: Clyw 'ma, Gruffydd bach. Gad imi agor dy lygaid di. Wyddost ti beth ydy'ch gwendid penna chi? Wyddost ti pam y byddwn ni'n feistri arnoch chi?

GRUFFYDD: Rwyt ti'n siarad fel ynfytyn. Fyddwch chi fyth yn feistri arnon ni!

WILLIAM: O byddwn, byddwn. Ac mi ddyweda i wrthyt ti pam. Am fod gormod o dywysogion gennych chi . . . gormod o fân-dywysogion a phendefigion bach di-nod sy'n cenfigennu wrth ei gilydd a phob un am fod yn ben . . . a phob un yn barod i ymladd â'i frawd ei hun. (*chwardd*) A thra bydd y corgwn yn

24

sgyrnygu ar ei gilydd, fe ddaw'r helgi a chipio'r asgwrn!

GRUFFYDD : Pan una'r tywysogion . . .

WILLIAM : Ie, pan unan nhw! Ond allan nhw ddim, machgen i, allan nhw ddim. Dyna pam rydyn ni wedi llwyddo cystal, wel di. Ond rydw i'n siarad fel un o wŷr y llys . . . (*troi at ei femrwn*) . . . ac nid siarad ydy ngwaith i . . . Estyn y morthwyl 'na i mi!

GRUFFYDD (*yn syn*) Beth?

WILLIAM : Mae gwaith gen i i'w wneud. Estyn y morthwyl 'na i mi!

GRUFFYDD : Na wna i! Dydw i ddim wedi arfer bod yn was bach i neb.

WILLIAM : Cystal i ti ddod yn gyfarwydd â'r syniad nawr, achos dyna beth fyddi di, a channoedd o rai tebyg i ti.

GRUFFYDD (*gan wylltu*) : Na fyddwn fyth! Fe yrrwn ni bob taeog o Norman o'r tir. Fe losgwn bob darn o bren. Fe sgubwn ni bob carreg i'r llawr. (*tynnu ei gleddyf*) Chei di ddim dechrau dy gastell. Dos odd' ma!

WILLIAM (*gan gilio'n ôl*) : Gad lonydd i ddyn, wnei di. Saer maen ydw i nid . . . . Does gen i ddim cleddyf, ond os wyt ti . . . (*cydio yn ei forthwyl*) Nawr 'te, fe gawn ni weld pwy . . .

> (*Ymdaro ac ymgiprys. Mae'r ddau mor brysur wrthi fel na welan nhw SYR HENRI ELLERTON yn dod i mewn ac edrych yn syn arnyn nhw am eiliad cyn gweiddi . . .*)

HENRI : William!
(*Mae'r ddau yn gorffen ar unwaith ac yn sefyll yn stond*)

HENRI : William, marcio trwch y mur ydy dy waith di, ond yn lle hynny dyma ti'n ymgodymu fel dyn mewn ffair.

25

WILLIAM: Maddau i mi, Syr Henri . . .

HENRI: Pwy ydy hwn, eh?

GRUFFYDD: Gruffydd ab . . .

WILLIAM: Un o'r Cymry gwyllt 'ma ydy e, syr. Mae e'n
             bygwth . . .

HENRIH   Bygwth? Ydy e'n wir! Bygwth pwy, bygwth
             beth?

WILLIAM: Bygwth casglu gwŷr a llosgi a chwalu'r
             muriau . . .

GRUFFYDD: Gwnaf! Chaiff estroniaid ddim codi eu
             cestyll . . .

HENRI: Mae'n rhy ddiweddar, y ffŵl gwirion. Mae
             Harlech a Chonwy a Rhuddlan eisoes ar
             waith, ac fe fydd y cestyll fel cylch amdan-
             och chi . . . yn eich cloi chi i mewn . . . yn
             eich tagu chi . . . (chwardd) A sôn am dagu,
             wyt ti, Gruffydd ab beth bynnag wyt ti, wyt
             ti wedi teimlo rhaff am dy wddf erioed, eh?
             Rwyt ti'n gwingo! Dyna beth sy'n dy aros
             di, a phawb arall sy'n beiddio codi ei lais,
             machgen glân i. Bygwth chwalu'r muriau,
             eh! (troi at William) Dos ag e i ffwrdd,
             William, a rho'r gwalch bach haerllyg mewn
             cell . . . i oeri ychydig ar ei waed e! I ffwrdd
             ag e!

WILLIAM: y . . . y . . . Mae e'n gryfach na mi, syr. Ac
             mae cleddyf . . .

HENRI (gan dynnu ei gleddyf) Sa'n ôl, ynfytyn! Neu . . .
             O'r gorau. Fe gei di brofi nerth dy fraich . . .
             (Ymladd ffyrnig am funud . . . hyd nes y
             caiff Gruffydd ei daro ar ei fraich dde.
             Gwich o boen a'r cleddyf yn syrthio i'r
             llawr).

HENRI: Dyna ti, William. Dydy e ddim yn gryfach
             na thi nawr. Ond fe fydd rhaid inni wella'i
             fraich e. Bydd eisiau dynion cryf iach i
             gario cerrig . . .

GRUFFYDD (yn ei boen) Charia i ddim cerrig!

WILLIAM: Fe gawn ni weld. Mae ffordd gennym ni o

26

berswadio dyn fel ti. Fe fydd munud o droi dy fodiau di yn ddigon i ti, gallwn feddwl. I'r gell ag e, William!

WILLIAM (*gan wthio'r truan yn ddigon diseremoni*) Dos! ac yn dawel, cofia.

GRUFFYDD (*gan godi ei lais wrth fynd allan*) Chewch chi ddim codi castell 'ma. Fe yrrwn ni chi allan o'r wlad . . . Fe fydd Cymru'n rhydd unwaith eto. Fe gawn dywysog cryf i'n harwain ni . . . Fe . . .

(*Fel y bydd y geiriau'n pellhau a Syr Henri yn chwerthin yn dawel tynner y LLENNI*)

(*Tröer y golau ar yr ADRODDWR*)

ADRODDWR: Ond codi'r castell wnaeth y Normaniaid. Yn raddol fe godwyd y muriau trwchus, nid yn unig i'r castell ei hun ond hefyd o amgylch y dref a dyfodd yma yng nghysgod y castell.

Chawson nhw ddim llonydd i fynd ymlaen â'r gwaith yn ddi-dor. O naddo! Fe ymosododd y Cymry'n fynych . . .

(*Symuder y golau am ychydig er mwyn inni gael gweld twrr o Gymry'n dringo'r grisiau'n dawel a'u harweinydd yn eu galw ymlaen. Rhuthro drwy'r lle ac allan i'r chwith ac i'r dde. Clywir ymladd yn y cefn rywle a cherrig yn cwympo. Miwsig 'brwydrol' yn gefndir i'r ymgyrch*).

ADRODDWR: Ar ôl pob ymgyrch fe aed ymlaen yn gyson â'r adeiladu ac fe ddaeth y castell yn amddiffynfa gadarn.

Erbyn y flwyddyn 1284 roedd y brenin Edward wedi llwyddo i oresgyn Cymru gyfan. Ac i gadw'r wlad dan ei sawdl fe

27

wnaeth Edward Gytundeb Rhuddlan a rhannu'r dywysogaeth yn siroedd a phennu dulliau newydd o reoli'r wlad. Roedd teler-au'r Cytundeb yn galed ar y Cymry, ac fe bwysai gormes y concwerwr yn drwm arnyn nhw.

Fe sylweddolodd y brenin mor anniddig roedd y bobl ac fe gytunodd i weld nifer o'r uchelwyr i drafod eu cwyn. Daeth tri o'r uchelwyr i'r castell . . .

(*Symuder y golau oddi ar yr Adroddwr a'i droi ar y llwyfan. Y llenni'n agor ar olygfa yn y castell. Wrth agoriad yn y cefn saif dau filwr o Norman yn gwylio'r fynedfa. Ymhen ennyd daw Cwnstabl i mewn o'r chwith. Ar ei ôl daw'r tri uchel-wr, MADOG, MAREDUDD a MEIL-YR.*)

CWNSTABL : Arhoswch chi 'ma. Mi af innau i ddweud wrth Ei Fawrhydi'r Brenin eich bod chi wedi cyrraedd.
(*Â allan drwy agoriad y cefn a'r ddau filwr yn ymsythu'n filwrol wrth iddo fynd heibio. Wedi edrych yn ddrwgdybus ar y ddau filwr dechreua'r tri Chymro grwyd-ro a chraffu ar y muriau*).

MADOG (*gan ysgwyd ei ben*) Dydw i ddim yn hoffi'r syn-iad o gwbl. Fe fyddai'n well gen i petaen ni wedi gallu cwrdd ag e'r tu allan i'r muriau 'ma. Mae'r lle 'ma'n rhy debyg i garchar. Roedden ni'n ffôl i ddod i'r ffau llewod 'ma.

MAREDUDD : A dyma ni . . . yn aros i'r llew ddod!

MEILYR : Welwn ni mo'r llewes a'r cenau bach . . .

MAREDUDD : Ydy'r frenhines yma?

MEILYR : Ydy, medden nhw . . . a'r baban newydd ei eni. Yh! Dyma le serchog i ddechrau bywyd . . .

28

MADOG:	Dydy e ddim yn lle serchog iawn i orffen bywyd chwaith. A dyna beth fydd ein diwedd ni. Roedd bai arnon ni i gytuno dod 'ma o gwbl. Yn y celloedd y byddwn ni ...
MAREDUDD:	Cofia di gadw dy dymer, a bod yn gwrtais wrth siarad â'r brenin.
MADOG:	Dydy e ddim yn frenin arna i!
MEILYR (*sibrwd yn daer*):	Bydd yn ofalus, yr ynfytyn ... neu yn y gell y byddi di. Cystal i ti ddod yn gyfarwydd â'r syniad mai Edward ydy'n brenin ni erbyn hyn.
MADOG:	Does dim eisiau i ti fod mor wasaidd. Oes eisiau i ti siarad fel taeog bach di-asgwrn-cefn. Cofia dy fod di'n uchelwr â gwaed tywysogion yn rhedeg drwy dy gorff di.
MAREDUDD:	Paid â gweiddi, da ti. Mae'r ddau filwr 'na'n gwrando.
MADOG:	Dydyn nhw ddim yn deall. Normaniaid ydyn nhw.
MAREDUDD:	Ond maen nhw'n gwrando, ac maen nhw'n gallu gweld ein bod ni'n anghytuno ar ryw-beth. Petaen ni wedi cytuno'n well fyddai hi ddim mor gyfyng arnon ni heddiw.
MADOG:	Beth wyt ti'n ei feddwl?
MAREDUDD:	Petaen ni wedi cadw gyda'n gilydd yn well ... petai pob tywysog a phob uchelwr drwy Gymru gyfan wedi bod yn deyrngar i Llywelyn fyddai fe ddim wedi gorfod cytuno â'r amodau yn Rhuddlan.
MEILYR:	Dwyt ti fawr gwell o sôn am hynny nawr. Mae'r drwg wedi'i wneud. Mae Llywelyn wedi'i ladd, a Dafydd ...
MADOG:	Doedd e ddim yn ddigon o ddyn i'n harwain ni. Ceiliog gwynt o ddyn oedd e ... yn newid a throi gyda phob awel ... er ei les ei hun. Paid â sôn am Dafydd, er mwyn dyn. Cynffonna i'r Normaniaid a chymryd arno fod yn Gymro da ... Roedd e'n haeddu cael ei grogi gan y Normaniaid ddweda i!

MAREDUDD: Dyna dy farn di. Ond roedd e yn Gymro o linach Llywelyn. Ac yn awr does gennym ni ddim neb i'n harwain ni.

MEILYR: Gadewch i ni fod yn gytûn yma heddiw beth bynnag. Rydyn ni'n cytuno bod y cytundeb a wnaed yn Rhuddlan yn annheg ac yn ormes.

MAREDUDD: Mae'r brenin wedi treisio iawnderau gwlad gyfan, a'n gwaith ni yma heddiw fydd ceisio darbwyllo'r brenin fod yr amodau a wasgodd e ar Gymru yn rhy galed, ac erfyn arno fe i ddiddymu rhai ohonyn nhw.

MADOG: Rhai ohonyn nhw? Rydw i'n dweud, diddymu'r cwbl! Fe ddylen ni gael tywysog i'n rheoli ni, tywysog inni'n hunain. Mae Cymru'n genedl . . .

MEILYR: Yn ara bach. Rhaid inni symud yn ofalus. Gwell peidio â gofyn am ormod ar unwaith. A pheth arall, wyt ti'n tybio y gallen ni benderfynu ar un dyn i fod yn dywysog arnon ni? Na, gyfeillion, un peth ar y tro. Nid ar redeg mae aredig, cofiwch.

MAREDUDD: Mae rhywbeth i'w ddweud dros bentyrru gofynion . . .

MADOG: Po fwya y gofynnwn ni amdano fe, mwya oll gawn ni. Os na ofynnwn ni, chawn ni ddim.

MEILYR: Dyna nghyngor i. Symud yn ara . . . un cam ar y tro.

MADOG: Pw! Rwyt ti'n llwfr. Calon cyw iâr sy gen ti.

(*Erbyn hyn mae EDWARD, brenin Lloegr, wedi dod i'r agoriad cefn, ac wedi clywed rhyw ychydig o'r dadlau*).

EDWARD: Gyfeillion, os ca i'ch galw chi'n gyfeillion . . .

(*Y tri uchelwr yn troi'n syn. Daw EDWARD i mewn a cherdded at y gadair*

30

sydd ar blatfform isel ar y chwith. Mae'r
Cwnstabl yn ei ddilyn yn ffyddlon ac yn
sefyll yn barchus y tu ôl i'r gadair.)

EDWARD: Rydw i'n sylwi nad ydych chi'n cydweld ar
rywbeth. Ellwch chi'r Cymry ddim cytuno
ar ddim, ellwch chi! Trueni na allech chi
gyd-dynnu'n well. (*chwardd*) Ond, dewch
chi, rydw i'n ddiolchgar dros ben i chi.
Mae'ch cecran chi a'ch mân-gwerylon chi
wedi bod yn help mawr i mi! (*o ddifri*)
Rydw i'n deall bod rhywbeth gennych chi
i'w drafod?

MADOG: Oes . . .

MAREDUDD: Rydyn ni . . .

MEILYR: Arglwydd frenin . . .

EDWARD: Fe fyddai'n well gen i glywed un ohonoch
chi! P'un ohonoch chi sydd i siarad?

MEILYR: Mi siarada i.

EDWARD: O'r gorau. Beth sy'n eich poeni chi? Yn fyr,
os gweli di'n dda.

MADOG: Mi ddyweda i'n fyr! Cytundeb Rhuddlan!

EDWARD (*yn gas, wrth Meilyr*): Roeddwn i'n tybio mai ti
oedd i siarad.

MEILYR: Mae'n ddrwg gen i, arglwydd frenin. Mae fy
nghyfaill braidd yn fyrbwyll. Rydw i'n erfyn
am dy faddeuant.

EDWARD (*yn ddiamynedd*) O'r gorau! Dywed beth sy gen
ti i'w ddweud. Beth ydy hyn am Gytundeb
Rhuddlan? Roeddech chi'n fodlon ar y tel-
erau ar y pryd. Dydw i ddim yn cofio imi'ch
gorfodi chi i gytuno.

MAREDUDD: Doedd neb wedi sylweddoli sut y byddai'r
drefn yn gweithio.

EDWARD: Roedd eich Llywelyn chi'n barod i fodloni,
on'd oedd e? Ac mi ddyweda i wrthych chi
pam. Am ei fod e ar lawr, wedi'i goncro.
Dyna pam!

MAREDUDD: Ond tra oedd Llywelyn yn fyw . . .

31

EDWARD: Dydy Llywelyn ddim gyda chi mwyach. Mae e wedi'i ladd ...

MAREDUDD (*yn ddig*) A Dafydd ei frawd wedi'i lusgo wrth gynffonnau ceffylau drwy heolydd Amwythig a'i grogi fel ci. Rydyn ni wedi colli dau dywysog roedd yn fraint inni ymladd dan eu baner.

EDWARD: Beth a dâl hiraethu am hen arwyr a fu. Fe aeth awr eich gogoniant chi'r Cymry heibio. Ni biau'r clod yn awr, a'r wlad. Ac rydych chi'n cwyno ydych chi, am delerau'r cytundeb? Rydych chi'n barod i anghofio i chi fodloni arnyn nhw. Ond i mi, Edward frenin Lloegr, cytundeb ydy cytundeb? Rhywbeth i gadw ato ... yn ddi-droi-nôl!

(*MADOG yn chwerthin yn wawdlyd*).

EDWARD (*yn gas*): Wyt ti'n beiddio gwawdio fy ngeiriau i?

CWNSTABL: Rwyt ti'n anghofio dy fod yng ngŵydd y brenin, ddyn. Efallai yr hoffet ti weld y gell sy dan y neuadd 'ma!

EDWARD: Gad iddo fe. Fe ddaw'n gallach. Roedd Cytundeb Rhuddlan yn deg. Fe ddaeth tiroedd Llywelyn i mi. Fyddai neb yn amau, rydw i'n sicr, nad ydy hi'n iawn i goncwerwr gymryd eiddo'r gŵr a gurwyd. Dyna'r drefn a fu erioed. O'r gorau, ynteu ... Fe rennais ei diroedd . . . ei dywysogaeth, os ydy'r enw'n well gennych chi . . . fe rennais y cwbl yn siroedd er mwyn i chi gael gwell trefn ar eich bywyd . . . tair sir yma yn y Gogledd ac Ustus i'w rheoli oddi yma yng Nghaernarfon . . .

MADOG: Dyna'r drafferth ...

EDWARD: Gad imi orffen, wnei di. A dwy sir yn y De i'w rheoli gan Ustus yng Nghaerfyrddin. Ydych chi'n cytuno mod i wedi rhoi cnewyllyn y Cytundeb yn gywir?

32

Owain Glyndŵr

O ddarlun gan A. C. Michael

MEILYR: Ydyn . . .
MADOG: Ydyn, ond . . .
EDWARD: Ond beth?
MADOG: Mae'r werin bobl yn achwyn . . .
EDWARD: Ydyn nhw'n wir! Am beth? Am fod mwy o
            drefn ar y wlad, eh?
MEILYR: Yn lle tywysog i'n rheoli ni mae gennym ni
            swyddogion o Normaniaid a Saeson. Mae
            Ustus a siryf yn arglwyddiaethu arnon ni, a
            llu o'u gweision nhw'n gwasgu arnon ni.
            Mae'r trethi'n llethol o drwm . . .
MADOG: Maen nhw'n afresymol o drwm. Ni sy'n
            gorfod talu am y rhyfela.
EDWARD: A phwy gebyst ddylai dalu, eh? Ydych chi'n
            meddwl mod i *am* ryfela. Does neb yn y byd
            yn fwy hoff o heddwch na mi. Ond gwae-
            tha'r modd, mae pobl fel chi, a rhai tebyg i
            chi yn Sgotland, yn gwrthod rhoi cyfle imi
            fwynhau heddwch. Chaf i ddim llonydd
            gennych chi, ac felly, rydw i'n gorfod cadw
            byddin yma a chodi cestyll . . .
MAREDUDD: Mae cwyno hefyd fod y werin yn gorfod
            gweithio . . .
EDWARD (*yn ddiamynedd*):Rydw i'n dechrau blino ar y
            mân bethau hyn. Oes gennych chi ddim
            sylweddol i'w drafod â mi Yn lle sôn byth a
            hefyd fod 'y bobl yn achwyn' a bod ' y werin
            yn cwyno'. Wrth gwrs eu bod nhw'n cwyno.
            Welsoch chi werin erioed yn berffaith fodlon
            ar eu byd? Naddo! Ond mi ddyweda i hyn
            wrthych chi . . . Mae cannoedd o'ch gwerin
            bobl chi wrth eu bodd fod castell yma yng
            Nghaernarfon.
MADOG: Chreda i byth fod . . .
EDWARD: Mae cannoedd o grefftwyr yn gweithio yma.
            Mae eu teuluoedd nhw'n byw yn y dre.
MADOG: A dyna beth arall. Tre o estroniaid ydy hi
            â muriau o'i hamgylch hi. Dydy'n pobl ni
            ddim yn cael byw . . .

33

EDWARD : Maen nhw'n cael dod i mewn i gynnal ffair. Maen nhw'n cael dod i mewn i werthu eu nwyddau, ac maen nhw'n falch o'r cyfle. Am y tro cynta yn eu bywyd maen nhw'n gallu ennill ceiniog, ac rydw i'n sicr dydyn nhw ddim yn cwyno am hynny. Os oes eisiau cwyno o gwbl, fi ddylai gwyno. Wyddoch chi faint mae'r castell 'ma wedi'i gostio i mi?

MADOG : Does dim eisiau castell o gwbl . . .

EDWARD : Mae eisiau heddwch!

MADOG : Y ffordd orau o gadw heddwch fyddai uno'r wlad dan dywysog cryf . . .

EDWARD : Eh? Tywysog! Ond y dyn, gormod o dywysogion fu gennych chi. Mae dyddiau'ch tywysogion chi ar ben.Fi sy'n rheoli'r wlad yn awr. (*yn wawdlyd*) Pw! Tywysog yn wir!

MEILYR : F'arglwydd frenin . . . y . . . doedden ni ddim wedi meddwl sôn am hyn heddiw. Ond gan fod fy nghyfaill wedi bod mor fyrbwyll . . .

MADOG : Doeddwn i ddim yn fyrbwyll. Dweud beth sy yn fy meddwl i wnes i.

MAREDUDD : Ac yn awr, arglwydd frenin, gan fod y syniad wedi'i roi, efallai y byddai'n beth da inni gael ein tywysog ein hunain . . . y . . . yn wir, mae'n syniad y byddai'n werth ei ystyried . . .

MADOG : Bydd gofyn iddo fe fod yn dywysog da, yn dywysog wedi'i eni yng Nghymru, yn dywysog y bydd yn fraint inni gael ei ddilyn.

EDWARD : Tywysog wedi'i eni yng Nghymru, ddywedaist ti. Hm . . . ydy, mae'n syniad sy'n werth ei ystyried . . . (*yn sydyn*) Os gwna i hyn, ydych chi'n addo ar eich llw fod yn deyrngar iddo fe?

MEILYR : Os cawn ni'n tywysog ein hunain . . .

MAREDUDD : Arglwydd frenin, os wyt ti am gael ein help i ddewis y dyn gorau . . .

EDWARD : Dydw i ddim yn credu y gallech chi gytuno

34

pwy fyddai'r dyn gorau. Na, fy swydd i fel brenin . . . rydw i'n siŵr y cytunwch ar gymaint â hynny . . . fy swydd i fel brenin fydd dewis tywysog i chi.

MEILYR: Rydw i'n siŵr yn wir y byddi di'n ddoeth yn dy ddewis, arglwydd frenin.

EDWARD: Eich swydd chi fydd cadw'n ffyddlon iddo fe.

MAREDUDD: Rydw i'n cytuno.

MEILYR: A minnau.

MADOG: Gobeithio rydw i y bydd e'n werth bod yn ffyddlon iddo fe . . .

EDWARD (*gan godi*) Fe gewch chi'ch tywysog. (*troi at y Cwnstabl*) Gwnstabl, rho groeso neuadd y brenin i'r uchelwyr hyn, ac wedyn, secwndid iddyn nhw hyd at furiau'r dre.

(*Y brenin yn cerdded at yr agoriad yn y cefn a throi*)

MADOG: Cyn inni fynd, gawn ni wybod pa bryd y byddi di'n cyhoeddi enw'r tywysog?

EDWARD: Mi orchmynna i alw cyfarfod yma yng Nghaernarfon bythefnos i heddiw, a'r pryd hwnnw fe gewch chi wybod pwy fydd yn dywysog arnoch chi.

(*Edward yn mynd allan*).

LLENNI

(*Tröer y golau ar yr ADRODDWR.*)

ADRODDWR: Daeth torf o bobl, yn fonedd a gwreng, i'r dre ac i gyffiniau'r castell i glywed dyfarniad y brenin.

35

(Symuder y golau'n araf at flaen y llwy-
fan. Mae'r dorf yn dechrau ymgynnull, a
gwelir grwpiau yn dringo'r grisiau a sym-
ud dros y llwyfan o flaen y prif lenni ac
allan i'r chwith. Yno mae dau filwr o
Norman yn gwylio, ac yn cyfeirio'r ym-
welwyr drwy'r agoriad ac i'r man iawn,
mae'n amlwg. Dau digon swrth ydyn nhw
a dydy'r gwaith hwn ddim wrth eu bodd).

MILWR 1 *(gan edrych ar ôl grŵp sy newydd fynd drwy'r*
agoriad). Edrych arnyn nhw! Fel haid
o ddefaid . . .

MILWR 2: Ac mor hurt â haid o ddefaid hefyd!

MILWR 1: Dydw i ddim yn gweld un synnwyr yn y
peth. Dod â'r giwed i mewn i'r dre ac i mewn
fan yma. Wyddon ni ddim pa niwed all
rhain ei wneud. Maen nhw wedi llosgi'r
castell 'ma o'r blaen, cofia.

MILWR 2: Feiddien nhw ddim gwneud dim drwg hedd-
iw.

MILWR 1: Synnwn i ddim. Mae rhai ohonyn nhw'n
edrych yn ddigon gwyllt.

MILWR 2: Wnân nhw ddim heddiw. Maen nhw i gyd
yn barchus heddiw . . . maen nhw'n mynd i
glywed pwy ydy'r tywysog i fod.

(Daw uchelwr i fyny'r grisiau a gosgordd
o ddilynwyr. Croesi'r llwyfan ac allan i'r
chwith).

MILWR 1: Mae e'n edrych fel petai e'n gobeithio cael ei
enwi'n dywysog. Pwy ydy e? Ydy e'n
dywysog bach?

MILWR 2: Paid â gofyn i fi. Dydw i ddim yn ei nabod e.
Mae pob pwtyn bach o uchelwr yn honni ei
fod e'n dywysog neu'n perthyn i dywysog.

MILWR 1: A phob un yn gobeithio'n dawel fach y caiff
e ei ddewis gan Edward frenin.

36

MILWR 2 :   Mae Edward yn gwybod beth mae e'n ei
            wneud, cred di fi. Hen gadno ffals ydy e!
MILWR 1 :   Sh . . . sh! Paid â siarad fel 'na am y brenin.
MILWR 2 :   O, down i ddim yn golygu un amharch. Na,
            gair bach o glod oedd ei alw e'n gadno. Rwyt
            ti'n gwybod cystal â finnau ei fod e'n ddigon
            cyfrwys i gael y gorau ar y rhain.
MILWR 1 :   Gobeithio ei fod e'n gwybod beth mae e'n
            ei wneud. Dydw i ddim yn gweld gronyn
            o synnwyr yn hyn . . . tynnu'r anwariaid hyn
            i'r castell. Dyn a ŵyr beth wnân nhw. Dod
            i sbïo mae eu hanner nhw!

            (*Daw twrr o Gymry eto, ac yn eu plith y
            tri uchelwr a welsom eisoes*).

MILWR 1 (*yn swrth*) Ie, dyna'r ffordd . . . i mewn drwy'r
            porth . . . (*wedi i'r Cymry fynd allan*) Rydw
            i wedi gweld rhai o'r rheina o'r blaen . . .
MILWR 2 :   Wrth gwrs dy fod di. Wyt ti ddim yn cofio?
            Roedden nhw yma ryw bythefnos yn ôl.
MILWR 1 :   Eitha iawn. Down i ddim yn hoffi eu golwg
            nhw y pryd hynny, a dydw i ddim yn hoffi eu
            golwg nhw nawr. (*yn sydyn*) Gwell i ninnau
            fynd i mewn. Fe fydd eisiau cadw trefn,
            siŵr o fod.

            (*Allan i'r chwith. Ymhen ennyd agorer y
            prif lenni ar olygfa yn y castell. Mae torf o
            Gymry ar y dde, yr uchelwyr yn ffrynt y
            twrr a'u dilynwyr y tu ôl. Mae'r tri uchel-
            wr rydyn ni'n gyfarwydd â nhw yn y blaen.
            O flaen y dorf mae dau neu dri milwr yn
            cadw trefn ac yn gofalu na fydd gormod o
            wthio ymlaen. Ar y chwith mae platffom isel
            ond does neb arno.*

            *Mae'r dyrfa yn edrych yn eiddgar am
            rywbeth i ddigwydd, mae'n amlwg, ac yn yr
            awydd i weld popeth mae hi braidd yn*

anhywaith. Ond saif y milwyr yn gadarn â'u
gwaywffyn yn barod.)

GWERINWR: Cadw di'r tipyn gwaywffon 'na draw, wnei
di.
MILWR: Paid â gwthio yn ei herbyn hi, 'te!
GWERINWR: Nid fi sy'n gwthio . . . maen nhw'n pwyso
gormod y tu ôl 'na.

(*Y dorf yn gwasgu ymlaen eto, ond ymhen*
ennyd mae'r gwasgu'n lleddfu).

GWERINWR (*ochenaid o ryddhad*): Dyna welliant! Mae'n
hyfryd 'ma heddiw . . .
MILWR: Eh? Hyfryd? Beth sy'n hyfryd?
GWERINWR: Wel . . . y lle 'ma, a'r dorf . . . a'r baneri
'cw'n chwifio yn yr awel. Beth ydy'r ddwy
faner acw? Maen nhw'n uwch na'r lleill.
MILWR (*yntau'n edrych i fyny*) O, y ddwy 'na. Wel, baner
y brenin ydy honna . . . yr un fwya, ac mae'r
llall yn dangos bod y frenhines yma yn y
castell.
GWERINWR: Ydy hi yma?
MILWR: Ydy, a'r baban bach, mab cynta'r brenin
Edward . . . (*yn uwch*) Nôl a chi! Dydych
chi ddim gwell o wasgu mlaen fel hyn. Does
dim i'w weld eto! (*grwgnach*) Gwaith, a
thrafferth. A thrafferth dieisiau hefyd . . .
tynnu torf direol yma heb eisiau o gwbl.
MADOG: Dy fusnes di ydy gofalu am y dorf nid cael
bai arni hi. Heb eisiau'n wir. Mae hwn yn
ddiwrnod pwysig. Mae'r brenin yn mynd i
gyhoeddi pwy ydy tywysog Cymru.
MILWR: Gobeithio y bydd e'n well na'r un oedd gen-
nych chi . . .
GWERINWR (*gan wasgu ymlaen*): Clyw 'ma, wyt ti'n styr-
ied beth wyt ti'n ei ddweud? Llywelyn oedd
y tywysog dewra fu erioed. (*y dorf yn cytuno*
ac yn gwthio ymlaen) Gofala di beth wyt

	ti'n ei ddweud, neu . . .
MILWR:	Sa di nôl, neu chei di ddim cyfle i glywed pwy ydy'r tywysog newydd, na'i weld e chwaith.
MADOG:	Pan gawn ni dywysog fydd dim eisiau'r brenin yma, na'i fyddin. Fe gawn ni wared arnoch chi i gyd!
MILWR:	Pw! Fe gawn weld! (*Corn yn canu rywle yn y pellter. Mae'r dorf yn symud yn eiddgar.*
	Daw Herald i mewn drwy'r agoriad yn y cefn a chyhoeddi)
HERALD:	Gosteg! Gosteg! (*Y dorf yn graddol dawelu*) Gosteg i'w Fawrhydi, y Brenin Edward, Brenin Lloegr a Duc Acwitain! Gosteg i'r Brenin gyhoeddi yma yng ngŵydd bonedd a gwerin y wlad hon a gynullwyd yma yng Nghastell Caernarfon y tywysog sydd i fod yn ben ar dywysogaeth Cymru.
	(*Mae'r Herald yn symud i'r neilltu. Daw dau filwr i mewn a sefyll yn syth wrth yr agoriad. Daw dau gornedwr i sefyll yn yr agoriad. Ffanffêr. Daw'r brenin Edward i mewn a thri neu bedwar o farchogion yn ei ddilyn. Â'r brenin i sefyll ar y platfform a saif y marchogion yn barchus y tu ôl iddo.*)
MARCHOG:	Gosteg!
EDWARD (*gan godi ei law'n awdurdodol*):	Rydych wedi gofyn am dywysog i'ch arwain chi, i fod yn ben arnoch chi. Fe addewais innau roi un i chi. Rydw i wedi'i ddewis. (*sibrwd a chyffro*) Rydw i wedi dewis tywysog wedi'i eni yng Nghymru, un na wnaeth gam â neb, ac rydw

39

i am i chi fod yn ffyddlon ac yn deyrngar iddo fe. (*cyffro*)

(*Y brenin yn troi i amneidio ar un o'r milwyr sydd wrth yr agoriad. Hwnnw'n troi i roi arwydd i rywun na allwn mo'i weld. Bydd y dorf, wrth gwrs, yn gwylio pob arwydd, ac yn gwasgu ymlaen i weld pwy a ddaw drwy'r agoriad.*
    Ymhen eiliad daw marchog i mewn yn urddasol. Mae e'n cario tarian ar ei gwastad, ac ar y darian, mae baban!)

LLAIS: Baban!

ARALL: Baban newydd ei eni! (*chwerthin chwerw*).

ARALL: Twyll . . . Rydyn ni wedi cael ein twyllo!

ARALL: Tywysog yn wir! Pw!

EDWARD (*yn uchel*) Dyma'ch tywysog chi. Fy mab i . . . y tywysog Edward a aned yma yn y castell hwn. Rydw i'n awr yn urddo fy mab yn dywysog ar Gymru. Rhowch groeso iddo. Gymry, rhowch groeso i'ch tywysog!

(*Mae'r dorf yn rhy syn i ddweud dim am foment. Yna bloedd neu ddwy ddigon amrwd o'r cefn rywle. Corn yn canu. Edward yn troi a mynd allan a'r marchog sy'n cario'r darian ar ei ôl. Yna'r marchogion. Ennyd o dawelwch syn wedi i'r osgordd fynd o'r golwg. Yna stŵr a chyffro, a'r milwyr yn cael digon o waith i gadw'r dorf anniddig yn weddol dawel.*

LLENNI A THYWYLLWCH

Tröer y golau ar yr ADRODDWR

ADRODDWR: Do, fe gafodd Cymru dywysog...a Thywysog Cymru ydy'r teitl a roddir i fab hyna

40

Arwisgiad Tywysog Cymru

O ran o ddarlun gan Christopher Williams, R.B.A.

brenin Lloegr byth oddi ar hynny. Fu'r tywysog cynta hwnnw, na llawer un arall ar ei ôl e, o fawr gwerth i Gymru. Tywysogion mewn enw'n unig oedden nhw.

Ond fe gododd arwr a gymerodd y teitl iddo fe'i hun . . . ond nid o Loegr y daeth. Nage'n wir, nid Sais oedd Owain Glyn Dŵr!

Rhyw gan mlynedd wedi i frenin Lloegr urddo'i fab yn dywysog fe dyfodd y cweryl a fu rhwng Glyn Dŵr a Iarll Grey o Ruthun yn wrthryfel a ysgydwodd genedl gyfan. Aeth y fflam a gyneuodd Owain Glyn Dŵr yn goelcerth. Rhuthrodd ei fyddin drwy'r Gogledd a'r De, ac erbyn y flwyddyn 1404 roedd y gwrthryfel wedi cyrraedd ei anterth. Yn ystod y flwyddyn honno fe ddaeth Owain yn ben ar y rhan fwya o Gymru. Ymosododd ar Harlech ac Aberystwyth a chipio'r cestyll yno. Galwodd senedd ym Machynlleth ac fe ddaeth cynrychiolwyr yno o bob cwmwd. Coronwyd Owain yn Dywysog yng ngŵydd cenhadau o'r Alban ac o Ffrainc.

Yn wir, roedd y gyfathrach rhwng Owain a Siarl, Brenin Ffrainc yn agos, ac fe addawodd Siarl anfon llongau a gwŷr i ymladd o blaid y Tywysog newydd. Roedd popeth yn gweithio er lles i'r gŵr a oedd wedi deffro'r genedl.

Ond fe safodd Castell Caernarfon yn gadarn yn erbyn grym Glyn Dŵr.

(*Tynner y golau oddi ar yr ADRODDWR a'i droi ar y llawr o flaen y llwyfan. Daw pedwar milwr i mewn o'r chwith. Mae'r un cynta yn rhyw fath o swyddog, mae'n amlwg.*)

SWYDDOG: Hywel, a thithau, Iestyn. Arhoswch chi yma i wylio.

| IESTYN : | O'r gorau. |
| HYWEL : | |

SWYDDOG : Rydw i am i chi gadw'ch llygaid ar agor . . .
i fyny ar hyd muriau'r castell, a chofiwch
roi ambell gip draw dros y môr. Fe fydd
hi'n nos nawr ymhen rhyw hanner awr ac os
gwelwch chi olau . . . Ydych chi'n deall?

*(Mae'n amlwg bod IESTYN a HYWEL
yn deall)*

SWYDDOG *(wrth y milwr arall)*: Tyrd dithau gyda fi . . .

(Â'r ddau allan i'r chwith)

HYWEL : Mi ddalia i ei fod e wedi dewis gwell lle na
hwn iddo fe ei hunan. *(grwgnach)* A'r twll
hwn i ni . . . yn nannedd y gwynt fan 'ma.

IESTYN : Gad dy rwgnach, Hywel. Mae rhaid gwylio,
a'n tro ni ydy hi nawr. Cystal i ti wneud y
gorau o'r gwaetha.

HYWEL : Fe ymunais i â byddin Glyn Dŵr i ymladd,
nid i eistedd am wythnosau wrth furiau
castell. Fe ymunais i i ruthro ac ymosod ar y
gelyn . . .

IESTYN : Mae'r gelyn yn ddiogel ar hyn o bryd . . . y
tu mewn i'r muriau 'ma.

*(Y ddau yn edrych i fyny ar y muriau
uchel)*

HYWEL : Chipiwn ni byth mo hwn, Iestyn. Mae e'n
rhy gadarn . . .

IESTYN : Ydy e'n gryfach na Harlech ac Aberyst-
wyth?

HYWEL : Ydy, gallwn i feddwl. Mae e'n gryfach o
lawer nag Aberystwyth. Chwarae plant oedd
cipio hwnnw. Cofia di, roedd castell Harlech

42

yn anodd . . .

IESTYN: Wel, dyna ti. Os gall Owain Glyn Dŵr ennill Harlech ac Aberystwyth, a chipio Castell Caerdydd a Chaerfyrddin a Dinefwr, fyddwn ni fawr o dro yn cael hwn hefyd.

HYWEL: Fe hoffwn i petai gen i ffydd fel ti . . . *(cerdded i'r chwith ryw ychydig a chysgodi)* Wyddost ti ble'r hoffwn i fod heno?

IESTYN: Nid gwylio wrth furiau Caernarfon yn oerwynt Tachwedd . . . mi wn i hynny wrth sŵn dy lais di. Wel, dwed. Ble?

HYWEL: Mae tân yn llosgi'n serchus yng nghegin yr Hendre . . . a nhad a mam . . .

IESTYN: Clyw 'ma, Hywel, dwyt ti ddim gwell o hiraethu am gysur cartre. Yma mae'n gwaith ni. A pheth arall i ti, ti ddewisodd ddod i ddilyn Glyn Dŵr. Orfododd neb di i ddod.

HYWEL: Ie, fi ddewisodd ymuno. Roeddwn i'n credu bod Glyn Dŵr yn mynd i wella'n byd ni . . .

IESTYN: Rho gyfle iddo fe. Dydyn ni ddim wedi ennill eto. *(yn frwd)* Ac wedi inni ennill, machgen i, fe fyddwn yn rhydd. Chawn ni mo'n poeni gan ormes swyddogion o Saeson a'u rheolau a'u deddfau diddiwedd. Fe gei di fynd i'r farchnad i brynu a gwerthu ac fe gei di fynd heb dalu toll. Fe gei di fynd pryd y mynni di, nid ar ddiwrnod ffair yn unig. Fe fyddwn i gyd yn rhydd. Ond, cofia di, fe fydd rhaid inni ymladd hyd y diwedd . . . yn ffyrnig . . . i'r carn!

HYWEL: Dyna beth sy'n 'y mhoeni i. Mae'r gwrthryfel 'ma'n mynd yn rhy hir. Adewaist ti ddim fferm i ddod i ymladd.

IESTYN: Naddo. Ond fe adewais fy llyfrau yn Rhydychen.

HYWEL: Wyddwn i ddim. Myfyriwr wyt ti?

IESTYN: Myfyriwr oeddwn i. Myfyriwr wedi troi'n filwr dros dro. Rydw i'n gobeithio dod yn gyfreithiwr . . . pa bryd, wn i ddim.

43

HYWEL :	Petaet ti wedi aros yn Rhydychen . . .
IESTYN :	Allwn i ddim. Aros yn Rhydychen a'r gŵr o Sycharth wedi canu cloch i ddeffro'r wlad? Wyddost ti beth ydy hyn i mi, Hywel? Nid gwrthryfel dyn yn erbyn ei gymydog, nid Glyn Dŵr yn erbyn de Grey, ond arwr o Gymro yn rhoi fflam wrth goelcerth, a chenedl gyfan sy wedi gwingo cyhyd yn deffro!
HYWEL *(gan edrych ar ei gyfaill yn syn)*:	Wyddwn i ddim dy fod ti'n teimlo fel hyn, Iestyn. Fe fuon ni'n ymladd ochr yn ochr am dair blynedd bron, ond chlywais i monot ti'n siarad mor . . . mor danllyd. *(chwardd)* Mae 'tanllyd' yn air da, eh, a thithau wedi sôn am fflam a choelcerth!
IESTYN :	Mae'n dda gen i weld dy fod yn gallu gwenu. Dyna ti . . . Rwyt ti'n debycach i'r Hywel roeddit ti dair blynedd yn ôl. Mae'r hen frwdfrydedd yn dy galon di o hyd. Wyt ti'n cofio'r hwyl gawson ni wedi gweld y seren wib?
HYWEL :	Mae dwy flynedd oddi ar hynny, Iestyn, ac fel pob seren wib . . .
IESTYN :	Wyt ti'n cofio'r sêl oedd ynon ni? *(yn frwd)* Roedd y seren fel draig o aur yn rhuthro drwy'r wybren 'Yn gannwyll ruddel felen Yn gadr ei phaladr a'i phen . . . Dur yw ei phaladr neu dân A draig i'r mab darogan.'
HYWEL :	Yn ara bach, Iestyn. Ffermwr ydw i . . . dydw i ddim yn fardd.
IESTYN :	Dydw innau ddim chwaith.
HYWEL :	Ond . . .
IESTYN *(gan chwerthin)*	Oeddit ti'n meddwl mai fi . . . ! Nage, nid fi. Dau gwpled o waith Iolo Goch ydyn nhw. Mae pob milwr yn eu gwybod nhw.
HYWEL :	Chlywais i monyn nhw.

44

IESTYN: Wrth gwrs dy fod di wedi'u clywed nhw, ond doeddet ti ddim yn gwrando. Y peth sy'n bwysig ydy bod y seren wib wedi darogan llwyddiant i Owain. Fe ydy'r ddraig aur! A byth oddi ar hynny, mae'r ddraig ar i fyny!

HYWEL: Byr ydy oes seren wib, cofia. Mae hi'n rhuthro'n llachar drwy'r nen . . a diflannu. Mae'r goleuni'n pallu. Mae'n mynd yn wannach wannach. Mae'n darfod, a does dim ar ôl ond sôn amdani.

IESTYN: Beth a dâl siarad fel 'na, Hywel. Ddaw dim lles i achos Glyn Dŵr os wyt ti'n wan dy galon. Gan nad wyt ti mor frwd ag y buost ti cystal iti fynd adre.

HYWEL: Mynd adre! Na wna'n wir!

IESTYN: Taw â'th rwgnach 'te.

HYWEL: Nid grwgnach ydw i, ond dangos i ti nad ydy'r achos 'man fêl i gyd. Cofia di, dydy pob Cymro ddim mor selog â ni. Mae llawer heb drafferthu i ymuno, ac yn waeth na'r cwbl, mae cryn nifer wedi dewis ymladd gyda'r Saeson, yn erbyn Glyn Dŵr!

IESTYN: Dyna'n gwendid ni bob tro. Petai'r Cymry wedi gallu cadw'n gytûn, petai pob enaid byw wedi bod yn ffyddlon a pheidio â gwamalu a newid ei ochr, fyddai neb wedi llwyddo i'n curo ni drwy'r oesoedd. Rydw i'n cofio taid yn sôn . . . (*yn sydyn*) Dydw i ddim yn gwybod am neb sy wedi gwrthod ymuno nac am neb sy'n ymladd gyda'r gelyn.

HYWEL: Does dim eisiau i ti fynd ymhell iawn oddi yma, Iestyn bach.

IESTYN: Pwy?

HYWEL: Mae un ohonyn nhw yn y castell 'ma nawr.

IESTYN: Saeson sy yma, a William Tranmere yn ben arnyn nhw.

HYWEL: Mae Ieuan ap Maredudd yma . . .

IESTYN (*yn syn*) Ieuan apMaredudd! Ond mae Robert ei

45

frawd e'n gryf o blaid Glyn Dŵr. Fe'i gwel-
ais i e fy hunan yn arwain ei wŷr . . .

HYWEL: Do, do. Gyda Glyn Dŵr mae Robert, ond yn
erbyn Glyn Dŵr mae Ieuan.

IESTYN: Druan ohono fe pan gipiwn ni'r castell 'ma!

HYWEL: Os cipiwn ni e . . .
*(Sŵn ymrafael ac ymdaro rywle i'r dde.
Rhed y ddau i edrych)*

HYWEL: Edrych! Maen nhw'n gwneud ymgyrch . . .

IESTYN: Mae twrr ohonyn nhw'n torri allan o'r
castell . . .

HYWEL: Dyma gyfle inni dorri i mewn. Tyrd!

IESTYN: Aros. Rhaid inni aros yma hyd nes y cawn ni
orchymyn.

HYWEL: Ond, Iestyn, efallai y bydd eisiau help . . .
(Rhed y swyddog i mewn o'r dde)

SWYDDOG: Ti, Hywel, mae eisiau dy help di . . .
(Rhed Hywel allan gan dynnu ei bicell)

SWYDDOG: Aros di fan 'ma, Iestyn. Os gweli di ryw-
beth rwyt ti'n ei amau, tyrd i ddweud ar
unwaith.

(Y swyddog yntau'n rhedeg i'r dde)

*(Cryfhaer sŵn yr ymladd. Milwyr o Saes-
on yn rhedeg ar draws y llwyfan (o flaen
y priflenni), ychwaneg o ymladd o'r golwg
rywle i'r dde, ac yna dau filwr yn cario
dyn wedi'i glwyfo'n dost yn ôl ac allan i'r
chwith. Yna'r Cymry, a HYWEL yn eu
plith, yn ymladd ar draws y llwyfan ac yn
gyrru'r Saeson yn ôl drwy'r agoriad ar y
chwith. Mae'r sgarmes yn tawelu ac
ymhen ennyd daw'r Cymry nôl. Dydyn
nhw i gyd ddim yn holliach, mae'n amlwg.
Allan i'r dde.*

*Mae Iestyn wedi gwylio ac wedi gweld
tipyn o'r ymladd. Daw HYWEL i mewn*

46

o'r dde. Mae ei fraich yn llipa wrth ei ochr.)

HYWEL : Dyna ddiwedd ar y sgarmes fach 'na!

IESTYN : Rhaid eu bod nhw'n gryf i fentro rhuthro allan arnon ni fel 'na.

HYWEL : Bydd gofyn iddyn nhw wneud ymgyrch cryfach na hwnna cyn y gallan nhw gael y gorau arnon ni. *(dal ei fraich a gwingo yn ei boen)*

IESTYN : Hywel, dy fraich di! Gad imi weld faint o niwed . . .*(archwilio'r clwyf)* H . . . m. Bydd rhaid i ti gael triniaeth i'r clwyf 'ma, Hywel.

HYWEL : Roedd y gwalch yn ddigon dechau â'i gleddyf. Ond mi ges i'r gorau arno fe! Trueni mai Cymro oedd e . . .

IESTYN : Cymro?

HYWEL : Ie . . . Rydw i'n clywed ei waedd e nawr. Fe alwodd e ar ei was pan drywanais i e drwy ei . . . *(yn sydyn)* Hei, Iestyn, wyddost ti pwy oedd e?

IESTYN : Na wn i. Pwy?

HYWEL : Ieuan ap Maredudd. Rown i'n dweud wrthyt ti ei fod e yn y castell . . . a nawr rydw i'n siŵr ei fod e! Fe glywais ei was e'n gweiddi arno fe cyn ei dynnu e nôl a'i gario o'r ffordd. Ha, wel . . . dyna un bradwr yn llai! Fydd e ddim yn ddigon iach i ymladd am dipyn.

IESTYN : Fyddi dithau ddim chwaith, os na chei di driniaeth . . .

HYWEL *(gan esgus bod yn ddifater)* Twt! Ches i ddim llawer o niwed. Wedi imi gael rhwymyn bach neu ddau . . .

IESTYN : Gobeithio y gall y dyn drywanaist ti ddweud yr un peth. Tyrd, inni gael trin y clwyf 'na.

HYWEL *(gan edrych i fyny at y castell)* Fe fydd eisiau mwy na rhwymyn bach neu ddau arno fe . . .

(Y ddau yn mynd allan i'r dde)

47

(Ymhen ennyd agorer y prif lenni. Gwel-
wn ystafell yn y castell. Gwely pren ar
ganol y llawr ac arno gorwedd IEUAN ap
MAREDUDD yn llesg a digyffro. Mae
HUW, ei was (un o'r ddau a welson ni'n
ei gario gynnau) yn dal ei ben, a HWL-
CYN yn ceisio ganddo i yfed diferyn.)

HWLCYN: Yf ddiferyn o hwn, Ieuan. Un diferyn
            bach . . .

IEUAN *(yn ei boen)* Hwlcyn . . . Hwlcyn . . . pan gei di
            gyfle . . . os cei di gyfle . . . dwed wrth Robert
            mod i'n . . .

HWLCYN: Paid di â phoeni am dy frawd . . . Mae cystal
            hawl gen ti i fod o blaid y brenin ag sy
            ganddo fe i fod ar ochr Glyn Dŵr . . . Fe
            liciwn i gael gafael yn y cnaf 'na wnaeth
            hyn i ti . . .

IEUAN: Paid â'i feio, Hwlcyn. Am y funud honno
            roeddem ni'n elynion cas. Fe neu fi oedd i
            syrthio. Doedd fy ergyd i ddim yn ddigon.
            Fe . . . pwy bynnag oedd e . . oedd y trecha.

            (Daw WILLIAM TRANMERE, ceid-
            wad y castell, i mewn)

WILLIAM: Sut mae e?

HWLCYN *(gan esgus bod yn ffyddiog)* Fe fydd Ieuan ap
            Maredudd yn ôl yn arwain ei wŷr cyn pen
            mis.

            (Mae'n amlwg nad ydy hyn yn llawer o
            gysur i Ieuan. Ni all wneud mwy na chodi
            ei law'n llesg. Mae Hwlcyn yn sefyll y tu
            ôl i'r gwely ac fe gaiff gyfle i ddangos
            nad oes fawr gobaith.)

WILLIAM: Fe ddwedais i wrthych chi mai peth ffôl
            oedd mentro ymgyrch. Faint gwell ydych chi
            nawr?

48

HWLCYN: Roedd ceisio yn well na sefyllian yma ddydd a nos, a gwneud dim.

WILLIAM: Rwyt ti'n gwybod cystal â mi, Hwlcyn, beth ydy'r cynllun. Cadw y tu mewn i'r muriau 'ma a gofalu bod pob un yn iach ei groen ac yn abl i ymladd. Ond nawr, mae pedwar yn farw rywle tu allan, a phump wedi'u clwyf-o'n dost. Roeddet ti a Ieuan yn gwybod faint o wŷr sy gen i. Naw ar hugain! Naw ar hugain i amddiffyn castell . . . Ac yn awr, wedi i chi fod mor ffôl . . .

HWLCYN: Ond y peth sy'n bwysig, William, ydy eu bod nhw'r tu allan yn credu bod mintai gref yma. Wedi inni wneud ymgyrch mor ben-derfynol fentran nhw ddim ymosod arnon ni. Erbyn hyn, maen nhw'n siŵr dy fod di'n ben ar garsiwn go dda.

WILLIAM: Diolch byth nad ydyn nhw'n gwybod y gwir, ddweda i. Bydd rhaid inni yrru neges i Gaer i ofyn i'r brenin yrru help. Bydd rhaid inni gael help o rywle cyn daw'r Ffrancod.

HWLCYN: Ddaw'r llongau o Ffrainc ddim mor bell â hyn . . .

WILLIAM: Dyna beth glywais i . . . cyn i'r giwed 'na ddod i'n cloi ni i mewn yma, a'n gwneud ni'n garcharorion yn ein castell ni'n hunain.

HWLCYN: Ond sut mae cael neges allan? All dyn ddim sleifio allan . . . Maen nhw'n gwylio'n graff yn gylch am y castell. A chofia, un peth fydd llwyddo torri drwy'r cylch. Peth arall fydd llwyddo ar y daith i Gaer. Mae'r wlad i gyd o blaid Glyn Dŵr.

WILLIAM: Alla i ddim fforddio colli dyn arall. Mae eisiau pob gŵr a all ddal cleddyf a thrin bwa . . .

(*IEUAN yn anniddig ar ei wely*)

IEUAN: Fe alla i ddal cleddyf . . . (*ceisio codi*)

Rhowch fwa i mi . . . (*syrthio'n ôl. HUW yn dal ei ben.*)

(*Rhed y ddau arall at y gwely*)

WILLIAM: Ieuan, rhaid i ti fod yn llonydd . . . i ti gael pob cyfle i wella.

HWLCYN: Gwna dy orau, Ieuan. Bydd dy eisiau di arnon ni, cofia.

WILLIAM: Rhaid iddo fe gael triniaeth ar unwaith. (*cerdded at y drws a gweiddi*) Dau ohonoch chi . . . Dewch â chlwyd . . . ar unwaith!
(*Rhed dau filwr â chlwyd i gario'r claf*)

WILLIAM: Codwch e'n dyner, fechgyn.

(*Codi Ieuan a'i roi ar y glwyd. Erbyn hyn mae ei glwyfau wedi bod yn ormod iddo ac mae'n anymwybodol.*)

WILLIAM: Ewch ag e i'r ystafell dan y tŵr ucha. Dwedwch wrth John am drin y clwyfau'n ofalus.

(*Y ddau filwr yn mynd. Mae HUW yn eu dilyn*)

HWLCYN: Aros funud, Huw.

HUW: Fy lle i ydy bod gyda Ieuan. Gwas iddo fe ydw i . . .

HWLCYN: Fe gei di fynd i ofalu am dy feistr . . .

HUW: Bydd eisiau tipyn o ofal arno fe hefyd. Wel, beth arall?

HWLCYN: Rwyt ti'n gyfarwydd â'r dre. on'd wyt ti? Roeddet ti'n mynd a dod . . .

HUW: Cyn i wŷr Glyn Dŵr ddod oedd hynny. Feiddiwn i ddim mynd allan i'r dre nawr!

WILLIAM: Rhaid inni yrru neges i Gaer . . .

HWLCYN: Mae'n gyfyng arnon ni, Huw. Petaet ti'n gallu sleifio allan ganol nos.

HUW: Fi? Ddylet ti ddim gofyn i mi a thithau'n

gweld mor wael mae Ieuan druan.

WILLIAM: Fe gaiff Ieuan y driniaeth orau, Huw.

HUW: Ac rydw i am fod gydag e.

HWLCYN: Ond dwyt ti ddim yn gweld, Huw, mae tynged pob enaid byw yn y castell 'ma'n dibynnu ar gael help y brenin.

WILLIAM: Mae'r cwbl yn dibynnu ar gael y neges i Gaer mewn pryd.

HUW: Chwiliwch am rywun arall i fynd â'r neges. Rydw i'n mynd i aros gyda Ieuan. (*Cerdded at y drws*).Dydw i ddim yn mynd i'w adael e tra bydd eisiau fy help i arno fe.

(*HUW yn mynd allan. WILLIAM a HWLCYN yn edrych ar ei ôl ac yna ar ei gilydd*).

WILLIAM: Mae e'n meddwl mwy am Ieuan ap Maredudd nag am ddal y castell 'ma.

HWLCYN: Un o wŷr Ieuan ydy e. Fe fyddai'n dda gen i petai pob gŵr sy gen i mor ffyddlon ag e.

WILLIAM: Ond fe ddylai godi'n uwch na rhyw ffyddlondeb bach personol. Mae teyrngarwch i'r brenin yn bwysicach na dim . . . a'n gwaith ni ydy cadw'r castell 'ma rhag syrthio i ddwylo'r gelyn.

HWLCYN (*yn chwerw*) Rhag syrthio i ddwylo'r gelyn! Wyt ti'n sylweddoli pwy ydy'r gelyn, William Tranmere?

WILLIAM: Ydw'n iawn. Yr arglwyddyn bach o fradwr sy'n ddigon haerllyg i godi gwrthryfel yn erbyn y brenin. Mae Glyn Dŵr . . .

HWLCYN: Arglwyddyn bach o fradwr, ddwedaist ti? (*chwerthin yn chwerw ddigon*) Mae'n dibynnu pa ochr o'r muriau 'ma rydyn ni'n ymladd!

WILLIAM (*edrych arno'n graff*) Dwyt ti ddim yn dechrau colli dy ffydd, wyt ti, Hwlcyn? Mae rhyw sŵn sur yn dy eiriau di.

51

HWCLYN :   Nac ydw, O, nac ydw. Ond rhyw fflach
ddaeth i'm meddwl i . . . wrth feddwl am
Ieuan druan i mewn fan 'na. Petai e wedi
dewis ymuno â'r gŵr rwyt ti'n ei alw'n frad-
wr, efallai . . . ond dyna fe'n awr . . . efallai na
wêl e mo'r wawr . . .

*(Erbyn hyn mae HUW wedi dod i'r drws,
ac wedi clywed y frawddeg ddiwetha)*

HUW :   Na, wêl e mo'r wawr! Does dim eisiau fy
help i arno fe mwyach. *(cerdded i mewn)*
Beth ydy'r neges 'na? Rydw i'n barod i'w
mentro hi!

LLENNI a THYWYLLWCH.

(Tröer y golau ar yr ADRODDWR.)

ADRODDWR :   Welodd Cymru mo'r wawr chwaith. Dichon
fod methiant Owain Glyn Dŵr i gipio castell
Caernarfon yn rhagflas o'r methiant oedd i
ddod. Roedd y ddraig aur wedi cyrraedd
anterth ei nerth. Ymhen tair blynedd roedd y
gwrthryfel ar ben. Roedd holl obeithion arwr
cenedl wedi gwywo a marw.
Cyn diwedd y ganrif honno fe ddaeth 'yr
haf hirfelyn' y soniai'r beirdd amdano. Ar
ôl brwydr Maes Bosworth fe ddaeth Cymro
yn frenin ar Loegr. Daeth y rheswm a'r
esgus am gael cestyll yng Nghymru i ben.
Doedd dim eisiau cestyll mwyach i gadw'r
Cymry'n dawel. Ac am y Cymry hwythau,
pa eisiau ymladd mwyach yn erbyn Lloegr
a'r 'gŵr darogan', Harri Tudur o deulu Pen-
mynydd ym Môn, yn frenin? Fe oedd y
gwaredwr. Fe a ddaeth i fedi'r maes a heu-

52

wyd gan Owain Glyn Dŵr. Roedd 'Lloegr gas' wedi'i threchu. Na, doedd dim eisiau ymladd mwyach.

Llundain a llys y brenin oedd cyrchfan cannoedd o'r Cymry mwya blaenllaw, ac er da neu er drwg, er drwg neu er gwaeth, roedd Cymru a Lloegr yn un. Fe ddaeth trefn newydd ar fyd,ac i Gymry'r cyfnod, dyma'r fendith fwya a fu erioed.

Roedd oes y castell wedi dod i ben. Bu'r lle 'ma'n garchar am gyfnod, ac fe glywn fod milwyr yma adeg y Rhyfel Cartre. Ond mynd ar eu gwaeth roedd y muriau drwy'r canrifoedd. Fe fu sôn un tro am dynnu'r cwbl i lawr, ond yn ffodus ddaeth dim o'r cynllun hwnnw. Mae'r castell ar ei draed o hyd, ac yn edrych yn well nag erioed. Daeth un awr arall o ogoniant i'r hen furiau hyn, un awr fer o rwysg yr hen ddyddiau gynt. Yma yn 1911, yr arwisgwyd mab y brenin Siôr y Pumed yn Dywysog Cymru...

(Ar hyn, clywir miwsig yn dod o'r cefndir. Wedi ysbaid o'r miwsig rhwysgfawr hwn

FFANFFÊR

Tafler y golau ar y llwyfan. Pan agorir y llenni gwelir golygfa sy mor debyg ag sy'n bosibl i ddarlun Christopher Williams o Arwisgiad Tywysog Cymru.

(NEU, os bydd hynny'n well gan y cyn-hyrchydd, gellid taflu'r llun ar sgrîn drwy gyfrwng epidiasgôp)

Cadwer y miwsig i chwarae am funud neu ddwy nes cyrraedd uchafbwynt mawreddog.

53

Tynner y LLENNI yn raddol a thywyll-
er y llwyfan. Tröer y golau ar yr
ADRODDWR.)

ADRODDWR : Heddiw, mae'r haul yn tywynnu ar furiau
Caernarfon, a'r ymwelwyr yn tyrru yma i
weld y castell . . .

(Goleuer y llwyfan a'r grisiau. Tynner y
llenni ar yr un olygfa'n union ag a welsom
ar y dechrau. Mae'r un grwpiau'n crwy-
dro, a'r deuoedd yn mynd law yn llaw, a'r
un grŵp ar y dde yn sgrifennu ac yn
meimio weithiau.)

. . . Bydd ambell grŵp yn ddigon ffodus
i gael arweinydd i ddweud yr hanes wrthyn
nhw. Bydd llawer un yn darllen yr hanes
wrth fynd o fur i fur ac o dŵr i dŵr. Bydd
llawer yn ail-fyw hen helyntion cynhyrfus
y canrifoedd. Mae'r grŵp acw, mae'n amlwg,
wrthi'n sgrifennu ychydig o'r hanes eu hun-
ain. Pa gynllun sy ganddyn nhw, tybed?
Ydyn nhw wedi dewis yr un helyntion â
ni? *(codi a dechrau cerdded at y llwyfan).*
Mi â i draw atyn nhw i weld sut maen nhw'n
ei gweithio hi. Efallai y galla i roi ychydig o
help iddyn nhw . . .

(Cerdded at y llwyfan a dringo'r grisiau.
Sefyll am ennyd i ddweud rhywbeth wrth
ddyn sy'n tynnu llun, ac yna cerdded draw
at y grŵp sy'n sgrifennu. Edrych ar y
nodiadau sy gan un o'r grŵp. Mae'n am-
lwg ei fod e'n cytuno. Eistedd gyda'r
grŵp a dechrau siarad yn frwd).

LLENNI